Un livre pour enfants sur

LA BRUTALITÉ

Conseillers à la publication: Jean-Pierre Durocher
                                   Chrystiane Harnois

Conseillère à la rédaction: Amanda Gough

Dépôt légal, 4e trimestre 1995
Bibliothèque nationale du Québec

ISBN 0-7172-3109-7

Imprimé aux États-Unis

Un livre pour enfants sur

LA BRUTALITÉ

Texte de JOY BERRY
Illustrations de BARTHOLOMEW

GROLIER LIMITÉE
Montréal

Voici l'histoire de Samuel et de Benoit.

Nous y parlerons de **la brutalité**, de ses conséquences et de comment tu peux y remédier.

Une petite brute est quelqu'un qui provoque les autres et qui aime se battre.

Une petite brute aime faire peur ou faire mal à ceux qui sont plus petits ou plus faibles qu'elle.

Certaines personnes sont brutales parce qu'elles *se sentent inférieures*. Elles ont l'impression que les autres sont meilleurs qu'elles.

Les petites brutes font croire qu'elles sont fortes et se battent pour essayer de prouver qu'elles valent les autres ou qu'elles sont meilleures que les autres.

Certaines personnes deviennent des petites brutes parce qu'elles *ont besoin qu'on leur prête attention.* Elles veulent qu'on les remarque.

Ces personnes jouent aux gros durs et se battent pour se faire remarquer.

Certaines personnes se conduisent avec brutalité parce qu'elles *ont peur*. Elles ont peur que les autres blessent leurs sentiments.

Ces personnes jouent aux «durs» pour effrayer les autres et ne pas être ennuyées.

Certaines personnes malmènent les autres parce qu'elles *sont en colère.* Quelque chose les a mises hors d'elles et elles veulent que tout le monde le sache.

Les personnes brutales expriment leur colère en étant mesquines et en se battant avec les autres.

Tu sais que tu te trouves en présence d'une petite brute lorsque cette personne:

- essaie d'avoir le dessus sur toi;
- essaie de te pousser à faire quelque chose en te menaçant.

Personne n'aime être brutalisé. Si on te brutalise, tu risques d'être vexé et de te mettre en colère.

Il y a toutefois certaines choses que tu peux faire pour éviter d'être brutalisé.

Conduis-toi avec les personnes brutales de la même façon que tu te conduis avec les autres. *Sois gentil avec elles.*

La plupart des gens, même les petites brutes, n'arrivent pas à se conduire méchamment avec une gentille personne.

Quelquefois la gentillesse ne marche pas avec les petites brutes.

Si une petite brute reste insensible à ta gentillesse, garde tes distances avec elle.

Les petites brutes ne pourront pas te brutaliser si tu te tiens à distance.

Lorsqu'il t'est impossible de te tenir à l'écart des petites brutes, *ignore-les.*

- Ne les regarde pas.
- Ne les écoute pas.
- Ne leur réponds pas.

Les petites brutes auront moins tendance à t'ennuyer si tu ne fais pas attention à elles.

Lorsqu'il n'est pas possible d'ignorer une petite brute, *affronte-la*.

- Fais-lui face. Regarde-la droit dans les yeux.
- Dis-lui que tu ne veux pas qu'elle te brutalise.
- Demande-lui de te laisser tranquille.

Si une petite brute tiens absolument à se battre avec toi, *pars*.

Elle ne pourra pas se battre avec toi si tu n'es pas là.

Si une petite brute s'entête à t'ennuyer, *demande conseil à quelqu'un.*

Parles-en à tes parents, à ton professeur ou à ta gardienne. Demande-leur ce que tu devrais faire pour que la petite brute cesse de t'ennuyer.

Personne n'aime être brutalisé. Pour
éviter de l'être, il faut savoir comment
s'y prendre avec les petites brutes. C'est
à toi d'y voir.